Chiara Codato   Fabio Casati   Rita Cangiano

Corso di lingua italiana per la scuola primaria

**quaderno di lavoro** modulo 1

**Alma Edizioni**
Firenze

Direzione editoriale: **Ciro Massimo Naddeo**
Coordinamento editoriale e redazione: **Sabrina Galasso**
Progetto grafico, impaginazione e copertina: **Sergio Segoloni** e **Manuela Conti**
Illustrazioni: **Daniela Mattei** e **Clara Grassi**

Coordinamento didattico: **Jolanda Caon**
Consulenza scientifica: **Graziella Pozzo** e **Rita Gelmi**
Coordinamento della sperimentazione: **Giselle Dondi** e **Anna Enrici**

Si ringraziano tutti i bambini coinvolti nella sperimentazione per il senso di responsabilità e la gioia con cui hanno partecipato al lavoro di revisione dell'opera e per il grande incoraggiamento fornito agli autori.

Si ringraziano gli sperimentatori Daniela Avancini, Cristina Baldi, Renata Benedetti, Anita Cava, Ivana Cavalet, Lorella Cum, Giselle Dondi, Anna Enrici, Simona Galeotti, Carmen Larentis, Gianluigi Leocane, Luigina Maccani, Pamela Marcaccio, Emanuela Martini, Alexia Modestino, Katia Oberosler, Alessia Pedrini, Giovanna Plancher, Antonella Scialpi e Giuliana Visintin per l'attento e prezioso contributo prestato.

**Nota**
Tutti gli autori hanno partecipato alla progettazione di ogni singola parte del libro. Fabio Casati ha curato in modo particolare il libro dell'alunno, Chiara Codato il quaderno di lavoro e Rita Cangiano la guida per l'insegnante.

**Ambarabà** è un progetto realizzato da **Alma Edizioni** in collaborazione con l'**Istituto Pedagogico Tedesco di Bolzano**.

Printed in Italy

ISBN 978-88-6182-067-8

© **2007 Alma Edizioni**

**Alma Edizioni**
Viale dei Cadorna, 44
50129 Firenze
tel +39 055476644
fax +39 055473531
alma@almaedizioni.it
www.almaedizioni.it

*L'Editore è a disposizione degli aventi diritto*
*per eventuali mancanze o inesattezze.*
*I diritti di traduzione, di memorizzazione elettronica,*
*di riproduzione e di adattamento totale o parziale,*
*con qualsiasi mezzo (compresi i microfilm e le copie fotostatiche),*
*sono riservati per tutti i paesi.*

# Presentiamoci

**Leggi e colora i palloncini.** 1

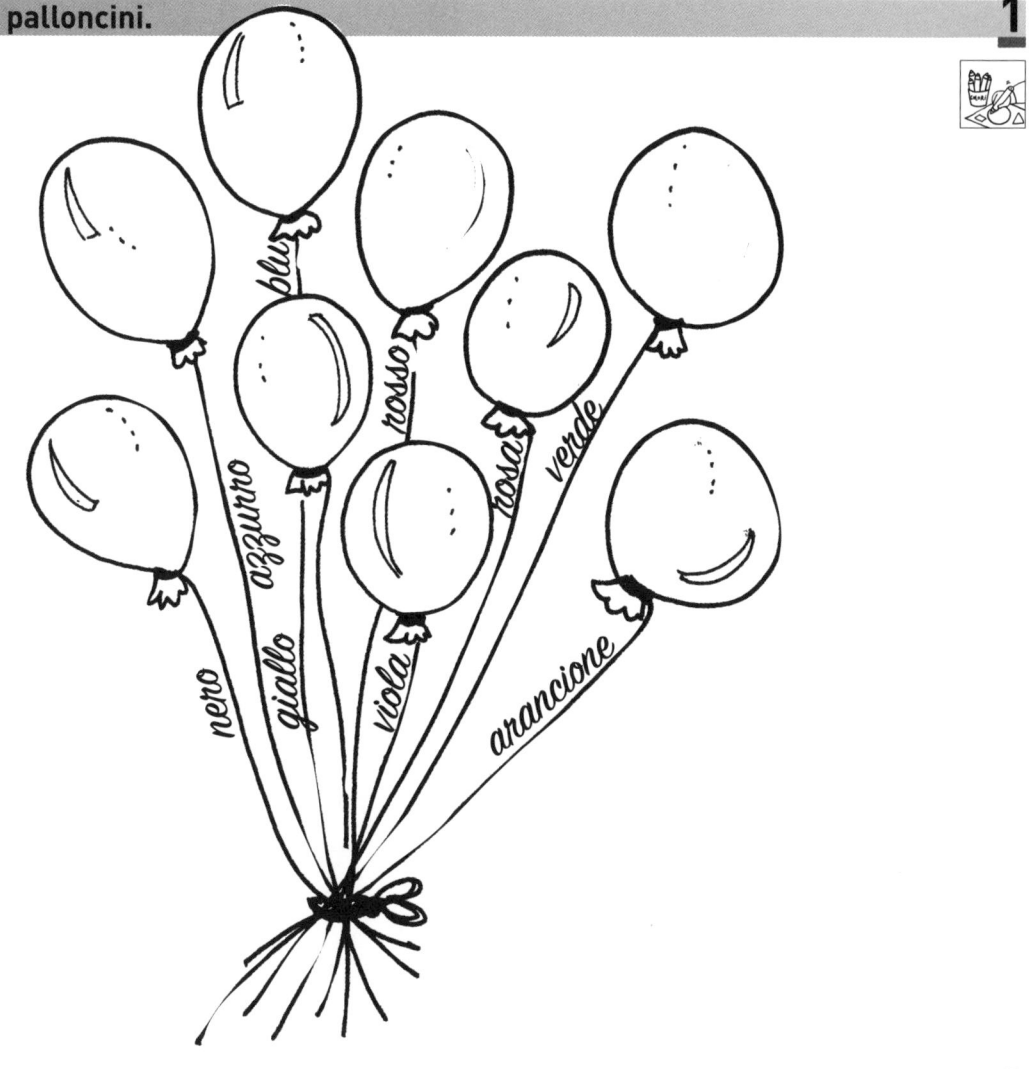

**Colora con il colore giusto i colori nascosti nella scatola.** ( ▶ ▲ ▼ ◀ ) 2

## La scatola dei colori

| A | R | A | N | C | I | O | N | E |
|---|---|---|---|---|---|---|---|---|
| A | S | O | R | N | E | R | O | V |
| Z | R | O | S | S | O | Q | G | E |
| U | G | T | V | I | O | L | A | R |
| L | D | G | I | A | L | L | O | D |
| B | A | Z | Z | U | R | R | O | E |

**Quanti colori ci sono nella scatola?**

### 3  Unisci il disegno e la parola, poi colora.

1  arancione

blu

4

2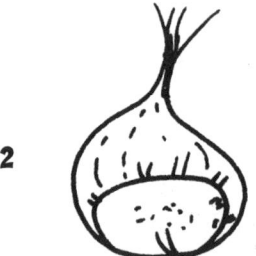

marrone

5

rossa

3

gialla

verde

6

### 4  Scrivi il colore.

1 La carota è *arancione.*

2 La castagna è _____

3 La rosa è _____

4 Il prato è _____

5 La banana è _____

6 Il mare è _____

**Colora il disegno, poi rispondi alle domande.** 5

Di che colore è il palloncino? È _____

Di che colore è il cane ? È _____

Di che colore è il cappello? È _____

Di che colore è il fiore? È _____

Di che colore è l'automobile? È _____

**Confronta il tuo disegno con quello di un compagno. Fa' domande così:**

Di che colore è ... ?

**Leggi e scrivi il numero.** 6

☐ È rossa e verde.

☐ È bianca e nera.

☐ È arancione e verde.

☐ È giallo, blu e arancione.

☐ È gialla e marrone.

## 7. Colora il numero e la parola corrispondente con lo stesso colore.

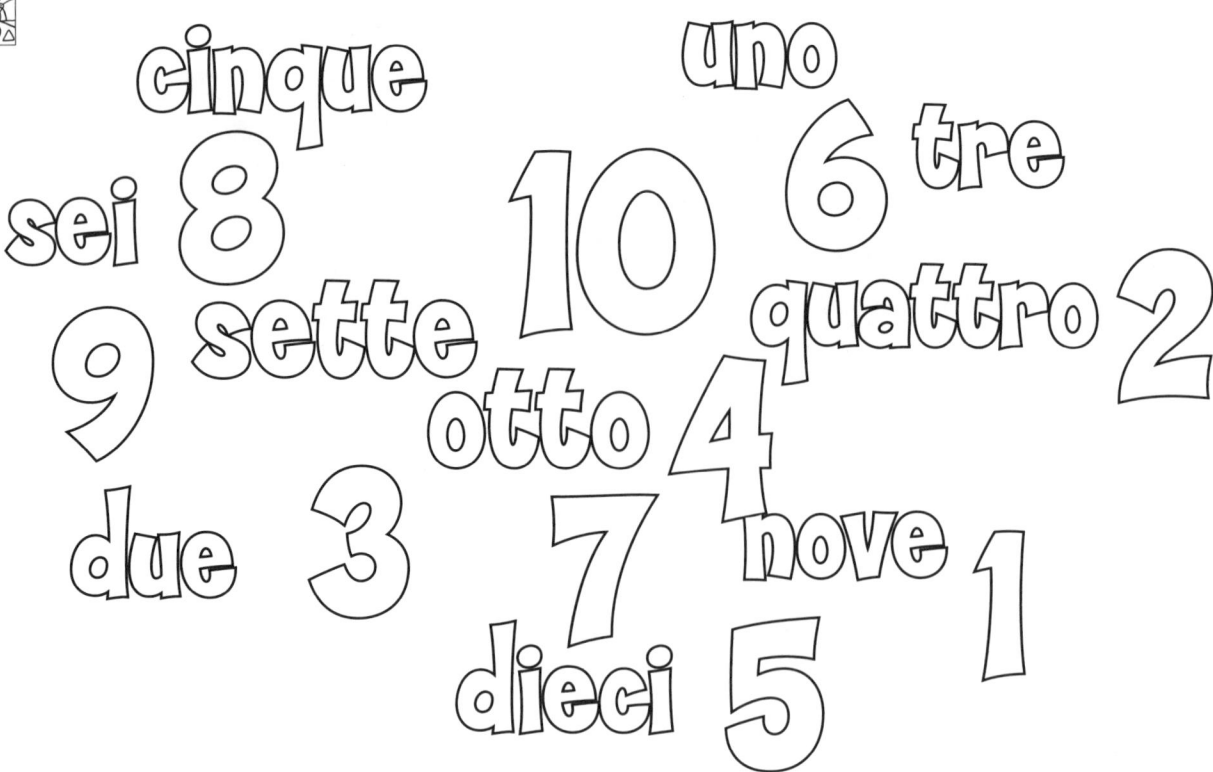

## 8. Rispondi.

Di che colore è il numero 1 ?   È rosso.

Di che colore è il numero 2 ?   È

Di che colore è il numero 3 ?   È

Di che colore è il numero 4 ?   È

Di che colore è il numero 5 ?   È

Di che colore è il numero 6 ?   È

Di che colore è il numero 7 ?   È

Di che colore è il numero 8 ?   È

Di che colore è il numero 9 ?   È

Di che colore è il numero 10 ?   È

### 9 Scrivi il numero che manca.

2 - 9 - 1 - 5 - 8 - 7 - 3 - 6 - 10 ▸ quattro

8 - 2 - 1 - 10 - 4 - 7 - 6 - 9 - 3 ▸

15 - 18 - 14 - 17 - 16 - 19 - 20 - 11 - 12 ▸

20 - 19 - 14 - 13 - 15 - 11 - 12 - 16 - 17 ▸

### 10 Scrivi i numeri, poi colora il numero segreto.

6 — S E I

16

8

14

3

5 — C I N Q U E

12

20

13

11

15

7

19

17

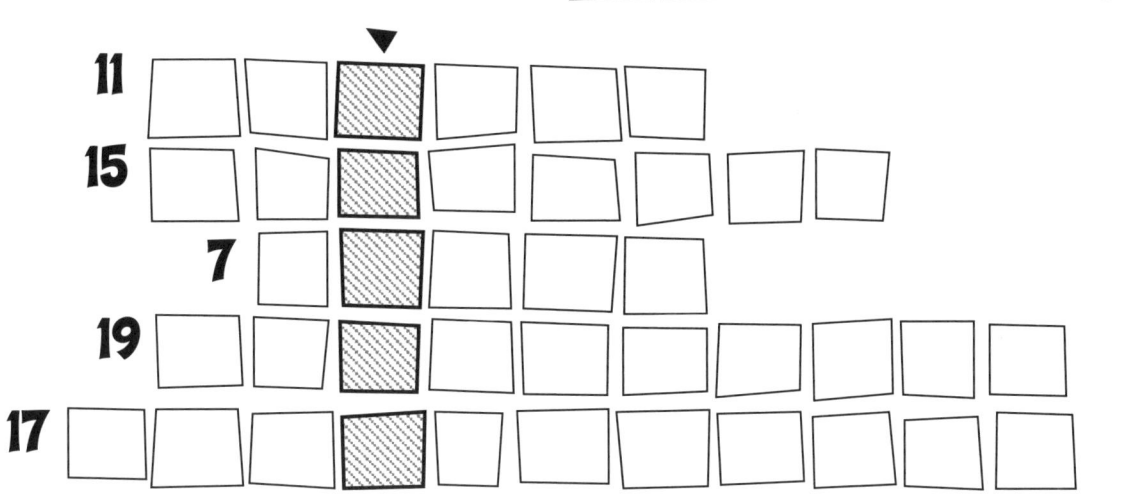

*Presentiamoci*

## 11 Guarda il disegno, poi conta e scrivi il numero.

1 Quanti bambini vedi?  Due

2 Quante bambine vedi?  _____

3 Quanti palloni vedi?  _____

4 Quanti cani vedi?  _____

5 Quanti alberi vedi?  _____

6 Quante panchine vedi?  _____

**Solo un bambino dice il numero di telefono giusto, scrivi il suo nome.**

Il mio numero di telefono è:
quattro – sette – otto
sei – due – uno.

*Stefano* 478631

Il mio numero di telefono è:
quattro – sei – nove – cinque
zero – tre.

*Anna* 469502

Il mio numero di telefono è:
quattro – sette – sei – cinque
due – otto.

*Giulia* 476528

**Qual è il tuo numero di telefono? Scrivilo.**

_____

**Chiedi il numero di telefono a un compagno e scrivilo.**

_____

## 13 Scrivi le lettere che trovi nelle caselle, poi leggi i nomi.

| ⁷O | ¹²A | ⁹L | ³C | ⁸E |
| ²A | ¹⁸A | ¹¹L | ⁶S | ¹³R |
| ¹N | ⁴M | ¹⁵E | ¹⁹S | ¹⁷O |
| ¹⁰N | ¹⁶A | ²⁰E | ¹⁴O | ⁵S |

tredici R
sette O
diciannove S
due A

uno _____
dodici _____
sei _____
diciassette _____

cinque _____
quattordici _____
nove _____
venti _____

quattro _____
otto _____
undici _____
sedici _____

tre _____
diciotto _____
dieci _____
quindici _____

quattro _____
due _____
tredici _____
venti _____

**Scegli 6 oggetti e scrivi vicino il numero.
Poi colora i 6 oggetti e scrivi le frasi.**

**14**

**1** Ecco la scatola.     È bianca.

**2** Ecco la palla.     È _____

**3** Ecco _____     È _____

**4** Ecco _____     È _____

**5** Ecco _____     È _____

**6** Ecco _____     È _____

*Presentiamoci*

## 15  Scrivi che cosa dicono i bambini.

## 16  Copri il disegno e rispondi alle domande.

1  Quanti anni ha Luca?

    Ha quattro anni.

2  Quanti anni ha Paolo?

3  Quanti anni ha Anna?

4  Quanti anni ha Emma?

**Colora gli oggetti della canzone.** 17

**Leggi le parole con uno specchio** ▼ **e poi scrivi bene le parole.** 18

_____   _____

_____

_____

*Presentiamoci*

### 19. Collega la domanda alla risposta.

1. Ciao, mi chiamo Luca. E tu, come ti chiami?
2. Quanti anni hai?
3. Dove vai?
4. Come si chiama la tua maestra?

- Ho sette anni.
- Si chiama Maria Rossi.
- Mi chiamo Anna.
- Vado a scuola.

### 20. Scrivi in ordine il dialogo tra Anna e Luca.

1 Luca: Ciao, mi chiamo Luca. E tu, come ti chiami?
Anna: _____
2 Luca: _____
Anna: _____
3 Luca: _____
Anna: _____
4 Luca: _____
Anna: _____

**Leggi ed esegui.**

1 Cerchia con il colore rosso i bambini grassi.

2 Cerchia con il colore blu i bambini alti.

3 Cerchia con il colore verde i bambini bassi.

4 Cerchia con il colore giallo i bambini magri.

# La mia casa

**1** Leggi e completa le frasi per Paolo.

Io mi chiamo _Paolo_

La mia mamma si chiama _____

Il mio papà ____ _____ _____

Mia sorella ____ _____ _____

Il mio cane ____ _____ _____

**Colora la parola che è fuori posto. Scrivi il nome di ogni famiglia di parole.** 2

1 | bianco | rosso | giallo | **mamma** | verde | ▶ _colori_

2 | sette | nove | papà | uno | cinque | ▶ _____

3 | delfino | mucca | pinguino | tigre | sorella | ▶ _____

4 | carota | fratello | marmellata | banana | pizza | ▶ _____

5 | Andrea | Daniela | Franco | Davide | nonna | ▶ _____

**Scrivi le parole fuori posto e il nome della loro famiglia.** 3

| | | | | |
|---|---|---|---|---|
| | | | | |

▶ _____

**Completa le famiglie di parole.** 4

1 | bianco | rosso | giallo | _____ | verde |

2 | sette | nove | _____ | uno | cinque |

3 | delfino | mucca | pinguino | coccodrillo | _____ |

4 | carota | _____ | marmellata | banana | pizza |

5 | Andrea | Daniela | Franco | Davide | _____ |

*La mia casa*  diciassette  **17**

**2** *due* Unità

## 5 Trova sette parti della casa. Colora le parole con il tuo colore preferito.

**La mia casa**

| C | I | N | G | R | E | S | S | O |
|---|---|---|---|---|---|---|---|---|
| U | N | O | C | L | A | S | S | E |
| C | A | M | E | R | A | B | L | U |
| I | A | R | T | S | E | N | I | F |
| N | O | M | E | B | A | G | N | O |
| A | T | T | E | R | E | M | A | C |
| S | O | G | G | I | O | R | N | O |

- ▶ classe
- ▼ cucina
- ▶ blu
- ◀ cameretta
- ▶ ingresso
- ▶ camera
- ▶ nome
- ▶ uno
- ◀ finestra
- ▶ soggiorno
- ▶ bagno

## 6 Colora le altre parole con un altro colore.

## 7 Scrivi le parole al posto giusto.

Scrivi le parole della casa.

| 1 | |
|---|---|
| 2 | |
| 3 | |
| 4 | |
| 5 | |
| 6 | |
| 7 | |

Scrivi le altre parole.

| 1 | |
|---|---|
| 2 | |
| 3 | |
| 4 | |

*La mia casa*

**Cambia una lettera e scrivi una nuova parola. Aiutati con i disegni.** 8

1. minestra ▶ finestra
2. naso ▶ _____
3. ragno ▶ _____
4. torta ▶ _____
5. cugina ▶ _____
6. cara ▶ _____
7. letto ▶ _____
8. falcone ▶ _____
9. cavolo ▶ _____

**Colora i numeri in rosso, i colori in blu, le persone in giallo e le parti della casa in verde.** 9

verdeseigiallocameradue
mammablucinquerossobagno
bambinocamerettasorella
ingressoquattrobambina

**Scrivi le parole nella colonna giusta.** 10

| numeri | colori | persone | parti della casa |
|--------|--------|---------|------------------|
|        |        |         |                  |
|        |        |         |                  |
|        |        |         |                  |
|        |        |         |                  |

*La mia casa* — *diciannove* 19

**2** *due* Unità

## 11 Questa è la casa di Bidù. Leggi le frasi e colora la casa di Bidù.

Il tetto è arancione.

Le finestre sono azzurre.

La porta è verde e nuova.

La casa è gialla.

Il camino è blu e vecchio.

Le ruote sono piccole e nere.

**Colora e ritaglia a pagina 59 le parti per costruire la tua casa preferita e poi descrivila.**

**12**

1 La casa è _____

2 Il camino è _____

3 Il balcone _____

4 _____

5 _____

6 _____

*La mia casa*

**13** Elena descrive la sua famiglia. Che cosa dice? Leggi le frasi.

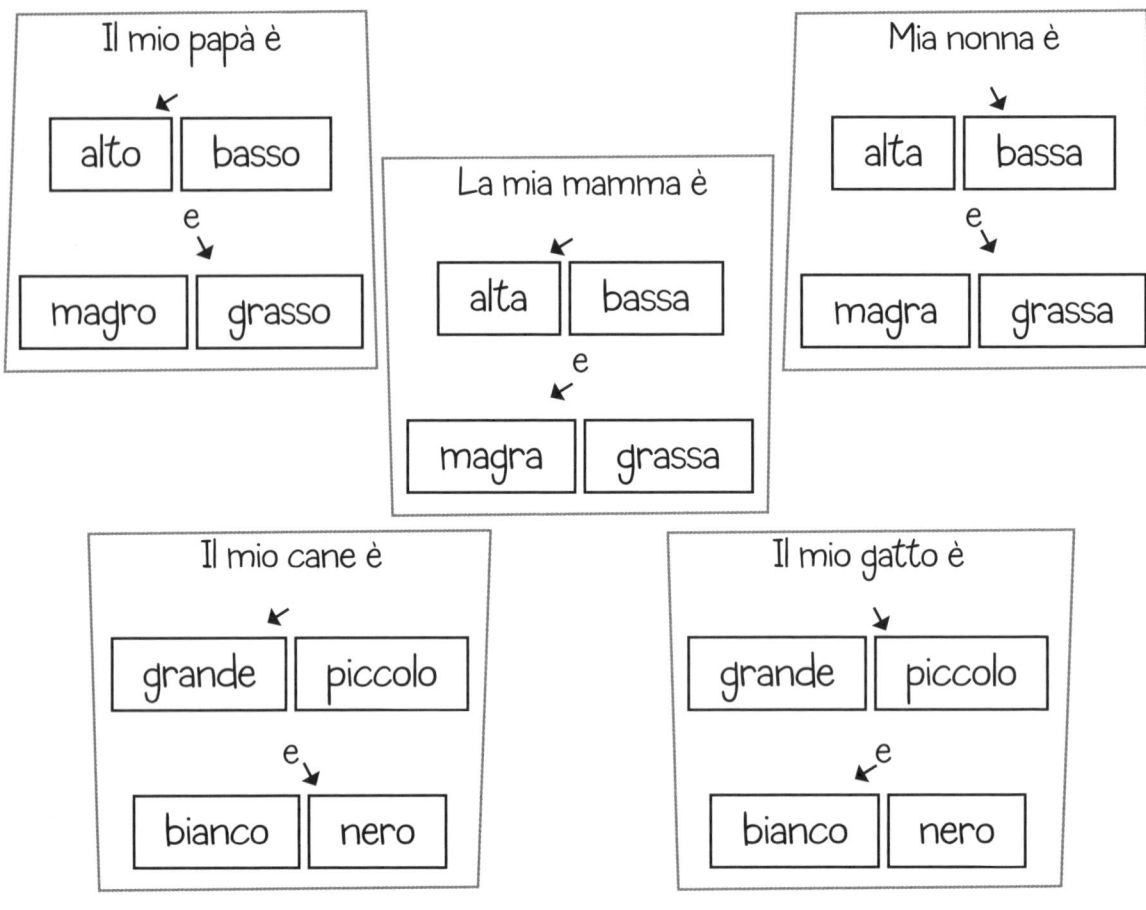

**Disegna e colora la famiglia di Elena.**

**Guarda il disegno e leggi le frasi. Poi segna se sono vere o false.** — 14

|  | vero | falso |
|---|---|---|
| 1 Il gatto è nella scatola. |  | × |
| 2 In cucina c'è una sedia. |  |  |
| 3 Sul tavolo c'è la mela. |  |  |
| 4 Il libro è sulla sedia. |  |  |
| 5 Nel vaso c'è un fiore. |  |  |
| 6 La finestra è piccola. |  |  |

**Quante frasi sono false? Fa' una croce sul numero.**

| 1 | 2 | 3 | 4 | 5 | 6 |

**Correggi le frasi false.** — 15

_____
_____
_____
_____

*La mia casa*

## 16 Colora la casella giusta e poi leggi.

In camera [ è ] [ **c'è** ] un letto.

Il letto [ **è** ] [ c'è ] grande.

In soggiorno [ è ] [ c'è ] il divano.

Il divano [ è ] [ c'è ] nuovo.

In cucina [ è ] [ c'è ] il tavolo.

Il tavolo [ è ] [ c'è ] quadrato.

In bagno [ è ] [ c'è ] la finestra.

La finestra [ è ] [ c'è ] piccola.

**Guarda il disegno e usa le parole per scrivere frasi.**

In soggiorno c'è il gatto, non c'è il cane.

*La mia casa*

### 18 Completa le frasi e poi leggi la filastrocca.

Sul tavolo c'è il **pane**

e sul tappeto c'è il **cane**.

In camera c'è la **porta**

e sul tavolo c'è la _____

Il camino è sul **tetto**

e il libro è sul _____

In soggiorno c'è la **finestra**

e in classe c'è la _____

La mia slitta è in **cantina**

e la merenda è in _____

In bagno c'è il **lavandino**

e sul divano c'è il _____

**Collega la domanda alla risposta.**  19

Lia

Rudi

1 Come si chiama tuo fratello?

2 Quanti anni ha tuo fratello?

3 Come è tuo fratello?

4 Di che colore è la sua palla?

5 Dove è tuo fratello?

É bianca e nera.

É in cucina.

Si chiama Carlo.

É alto e magro.

Ha 8 anni.

**Scrivi il dialogo in ordine.**  20

Lia : Come si chiama tuo fratello?

Rudi : Si chiama Carlo.

Lia : _____

Rudi : _____

Lia : _____

Rudi : _____

Lia : _____

Rudi : _____

Lia : _____

Rudi : _____

*La mia casa*

ventisette 27

# In classe

**1** Ti ricordi che cosa dicono questi bambini? Scrivi le frasi nei fumetti.

**Leggi e colora le parole. Sono 14, ma i disegni sono solo 11.** 2

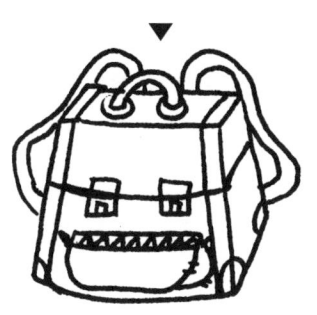

| C | E | S | T | I | N | O | Q |
|---|---|---|---|---|---|---|---|
| A | R | T | S | E | A | M | U |
| R | O | B | P | E | N | N | A |
| T | L | A | M | M | O | G | D |
| E | O | R | B | I | L | I | E |
| L | C | A | L | L | O | C | R |
| L | M | A | T | I | T | A | N |
| A | L | O | U | C | S | D | O |
| R | I | G | H | E | L | L | O |
| O | I | C | C | U | T | S | A |
| I | C | I | B | R | O | F | Ü |

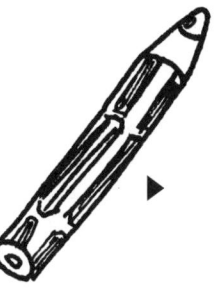
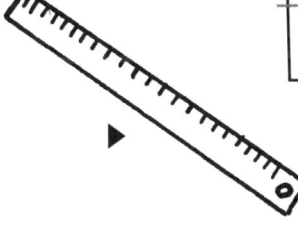

**Scrivi le lettere che restano e leggi il nome nascosto.** 3

_ _ _ _ _

*In classe*     *ventinove*

**4** Ritaglia e incolla nella casella giusta i disegni di pag. 57.

Gli oggetti dello scolaro

Gli oggetti della classe

Gli animali

Le persone della famiglia

**Scrivi che cosa dice Rita.** 5

**Disegna gli oggetti di Rita.**

## 6 Scrivi che cosa dice Ivano.

Ivano, che cosa hai nella cartella?

Io ho:  1) plala   4) mreneda   5) clola
        2) pnnea   6) rehlligo  3) gmoma

1) una ▢▢▢▢▢    4) la ▢▢▢▢▢▢▢
2) una ▢▢▢▢▢    5) una ▢▢▢▢
3) una ▢▢▢▢▢    6) un ▢▢▢▢▢▢

**Disegna gli oggetti di Ivano.**

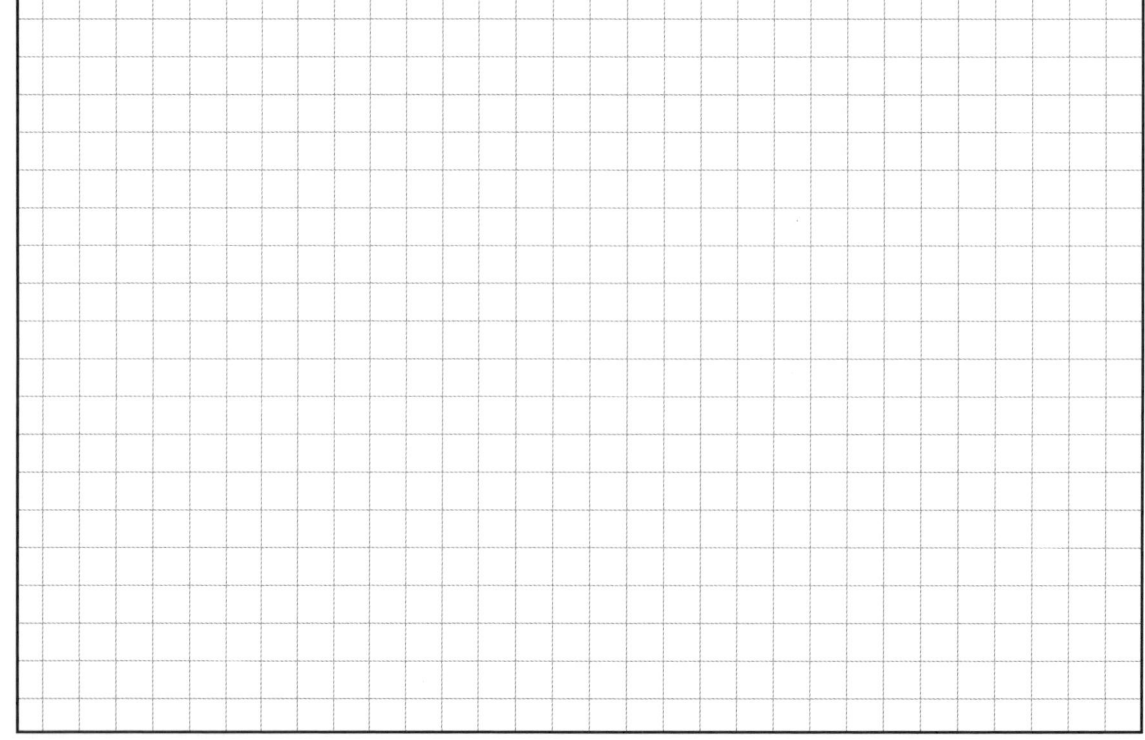

**Guarda il disegno e scrivi che cosa ha ogni bambino.**

Luca ha _una gomma._

Emma ha _____

Anna ha _____

Leonardo ha _____

Andrea ha _____

## 8 Cerchia le azioni, sono 13. ( ▶ ▲ ▼ ◀ )

| C | T | S | C | R | I | V | O |
|---|---|---|---|---|---|---|---|
| H | A | B | A | L | L | O | L |
| I | G | I | N | E | O | G | L |
| U | L | O | C | G | T | I | O |
| D | I | S | E | G | N | O | C |
| O | O | ! | L | O | A | C | N |
| O | R | O | L | O | C | O | I |
| A | P | R | O | T | N | O | C |

## 9 Scrivi le azioni che hai trovato.

_____    _____

_____    _____

_____    _____

_____    _____

_____    _____

_____

## 10 Scrivi le lettere che rimangono, così scopri chi fa queste azioni.

_ _ !

34 trentaquattro

**Completa le frasi.**

 Io ___mangio___  la  ___mela___

 Io _____  la  _____

 Io _____  il 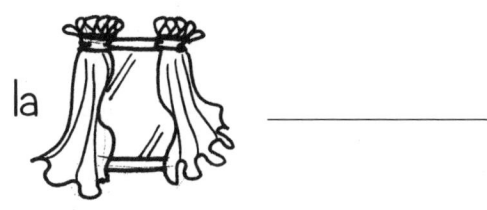 _____

 Io _____  la  _____

 Io _____  il  _____

 Io _____  la  _____

Io _____  la _____

## 12 Collega l'azione all'oggetto.

1 Io disegno →
2 Io cancello →
3 Io incollo →
4 Io taglio → *con*
5 Io scrivo →
6 Io gioco →
7 Io coloro →

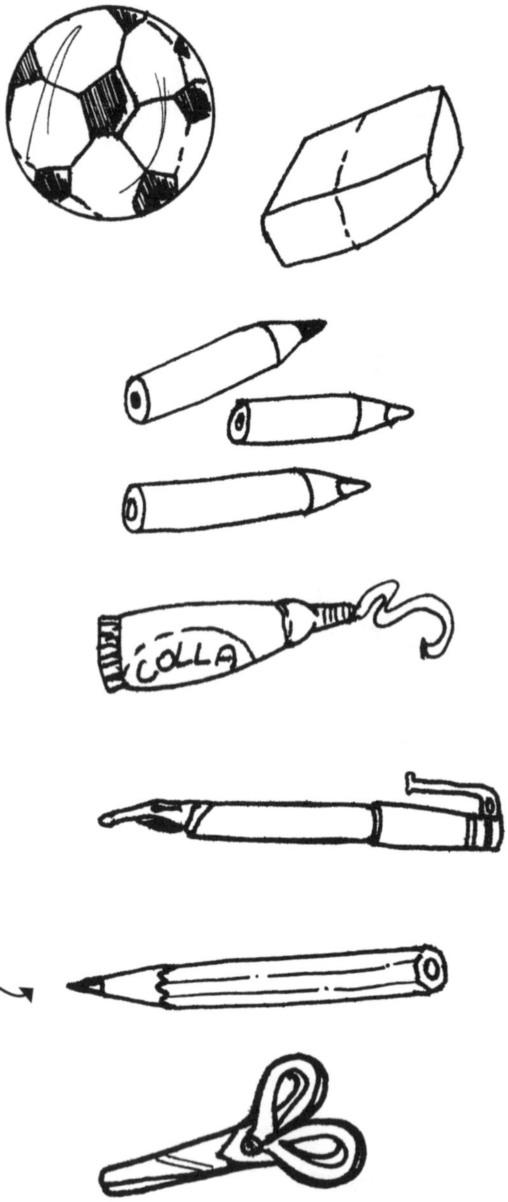

## 13 Adesso scrivi frasi così:

1 Io disegno con la matita.
2 _____
3 _____
4 _____
5 _____
6 _____
7 _____

**Collega il bambino all'azione.** **14**

mangia   balla

gioca

cancella   disegna

taglia

canta

incolla

colora

**Adesso scrivi le frasi. Scegli un nome per ogni bambino.** **15**

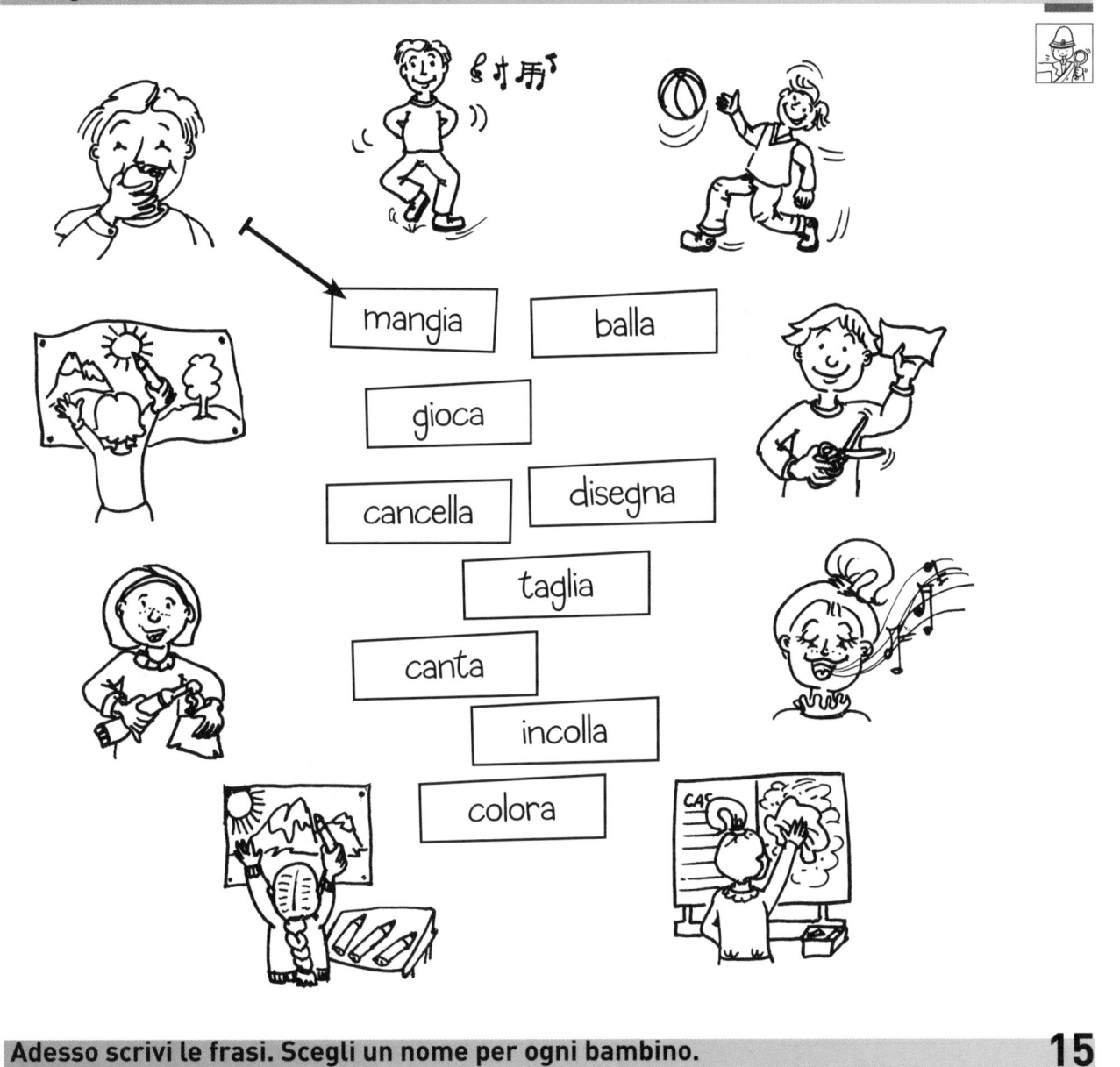

*Luca mangia la mela.*

*In classe*  trentasette  **37**

**3** tre

Unità

**16** Segui le piste e scrivi.

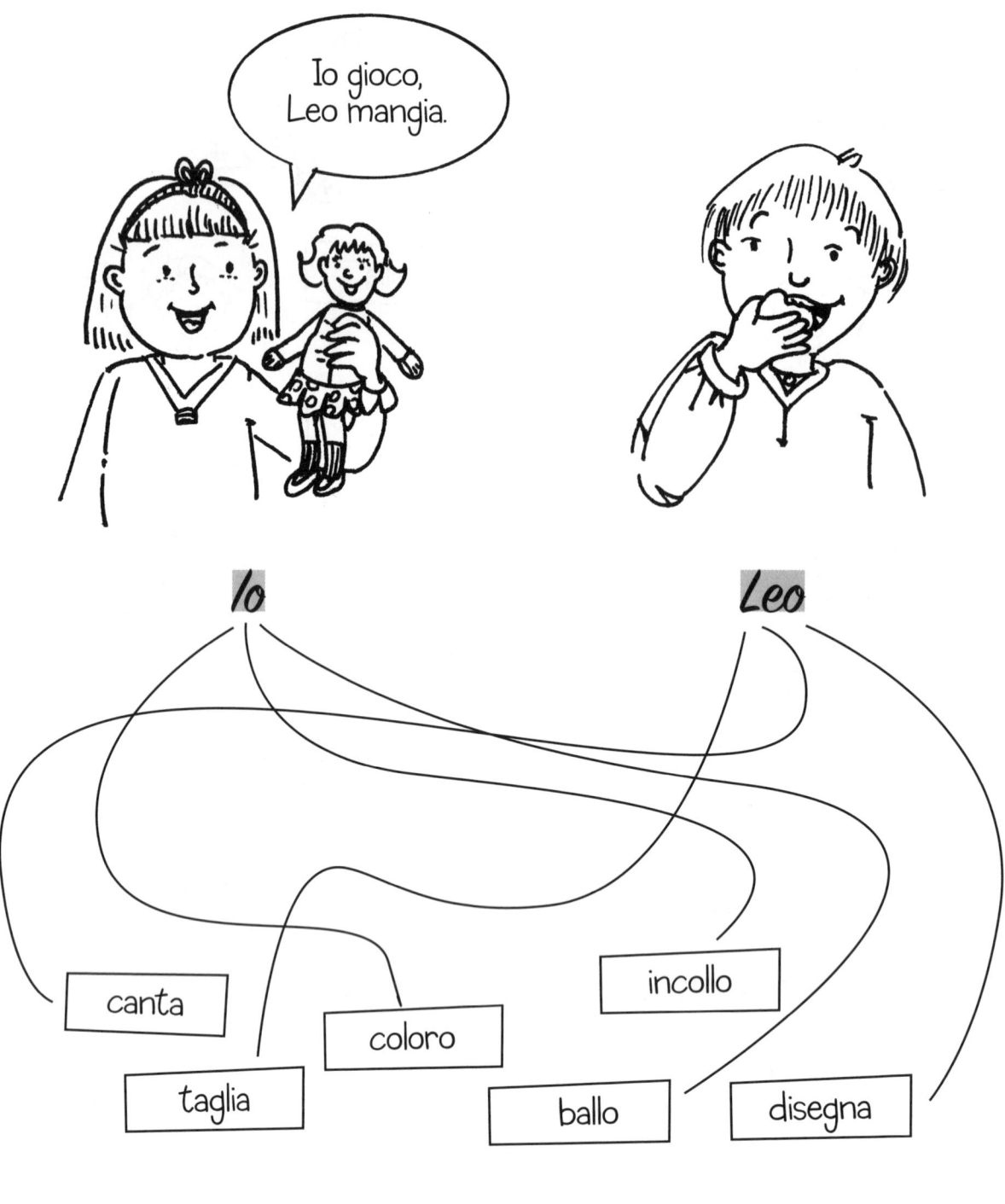

"Io gioco, Leo mangia."

*Io*      *Leo*

canta    coloro    incollo    taglia    ballo    disegna

Io gioco.        Leo mangia.

**Leggi e colora che cosa dice la maestra.**

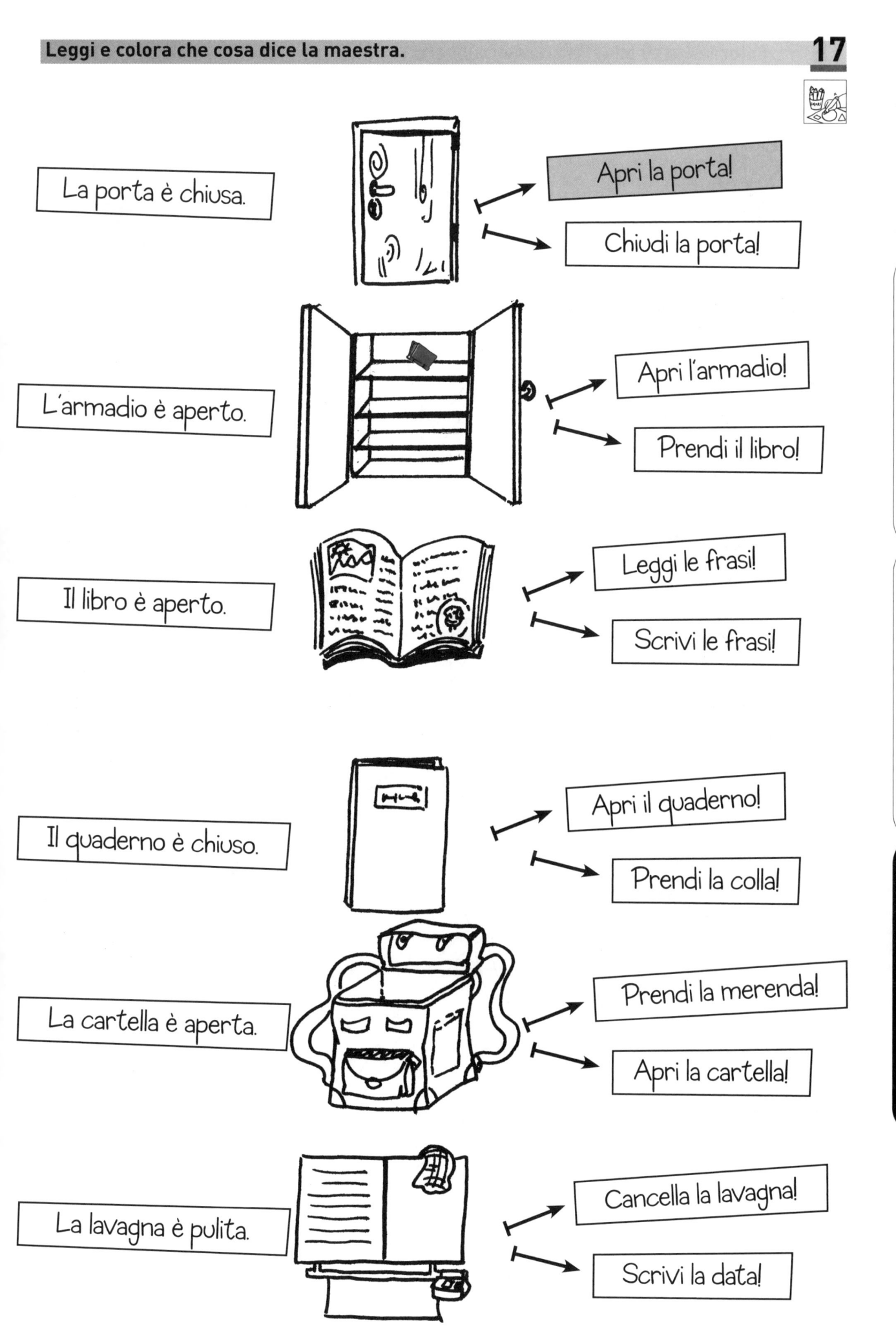

**17**

La porta è chiusa.
- Apri la porta!
- Chiudi la porta!

L'armadio è aperto.
- Apri l'armadio!
- Prendi il libro!

Il libro è aperto.
- Leggi le frasi!
- Scrivi le frasi!

Il quaderno è chiuso.
- Apri il quaderno!
- Prendi la colla!

La cartella è aperta.
- Prendi la merenda!
- Apri la cartella!

La lavagna è pulita.
- Cancella la lavagna!
- Scrivi la data!

*In classe*

**3** *tre*

Unità

trentanove 39

## 18 Colora ogni strada con un colore diverso.

**Adesso scrivi le frasi.** 19

1. Io ho l'astuccio.

2. Tu _____

3. Luca _____

4. _____

5. _____

6. _____

**E tu che cosa hai?**

_____

_____

_____

_____

## 20 Leggi e disegna le cose vicino alla cartella giusta.

Di chi è il libro? È di Anna.

Di chi è la penna? È di Marco.

Di chi è la gomma? È di Carlo.

Di chi è il quaderno? È di Anna.

Di chi è la matita? È di Carlo.

Di chi è l'astuccio? È di Marco.

Di chi è il righello? È di Carlo.

Di chi è la colla? È di Anna.

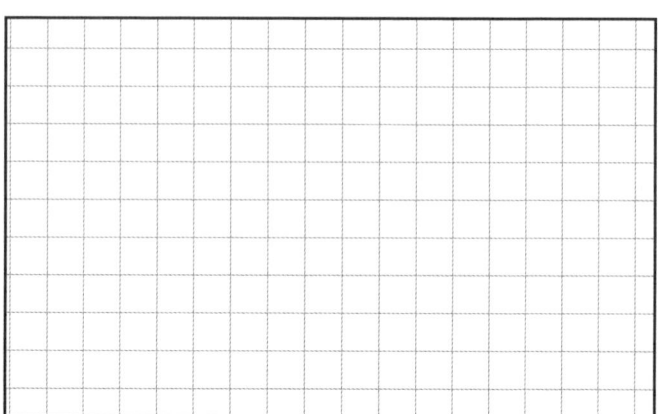

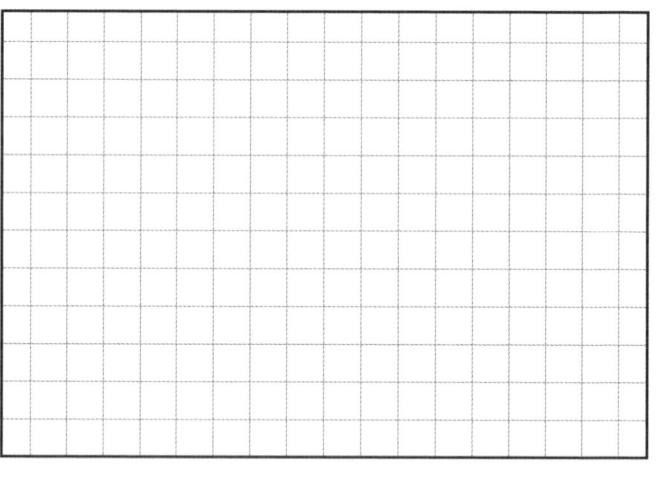

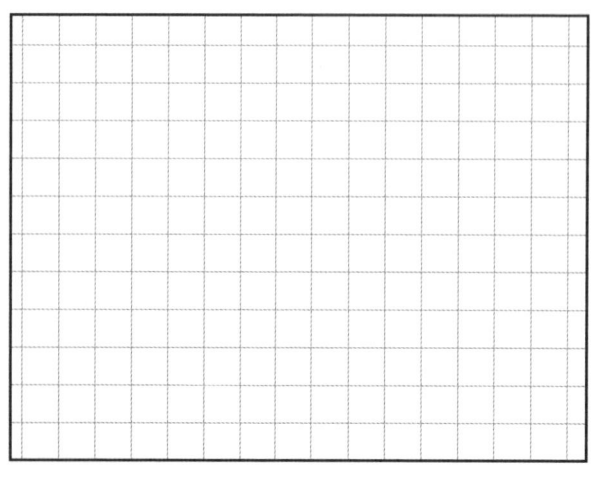

Marco

Anna

Carlo

42 quarantadue

In classe

**21** Collega con una freccia l'oggetto all'aggettivo.

chiusa
pulita
sporca
nuovo
vecchio
aperto

**22** Adesso scrivi le frasi.

La cartella è pulita.

## 23 Vero o falso? Leggi la frase e segna la casella giusta.

|  | vero | falso |
|---|---|---|
| 1 La penna è sul banco. | X |  |
| 2 Anna scrive la data alla lavagna. |  |  |
| 3 Sul banco ci sono i colori. |  |  |
| 4 Sull'armadio c'è una scatola. |  |  |
| 5 Nel cestino ci sono 2 quaderni. |  |  |
| 6 La cartella è sulla sedia. |  |  |
| 7 Sulla cattedra c'è un vaso. |  |  |
| 8 Nel vaso ci sono tre rose. |  |  |

**Segna le differenze, sono 7.** 24

*In classe* quarantacinque

## 25  Adesso scrivi le frasi.

| A | B |
|---|---|
| Susi legge. | Susi scrive. |
| La maestra ha il quaderno. | La maestra ha |

**Guarda i disegni, leggi le frasi e scrivi nella casella il numero giusto.**

☐ Finalmente Anna arriva a scuola.

☐ La bicicletta ha una gomma bucata.

☐ Anna frena, perché un gatto attraversa la strada.

☐ Anna prende il quaderno, ma... è il quaderno di sua sorella.

[1] Anna saluta la mamma e va a scuola.

☐ Tutte le cose cadono fuori dalla cartella.

☐ Anna prende la pompa e gonfia la gomma.

☐ Anna pedala velocemente, perché è tardi.

☐ Anna mette le cose nella cartella.

*In classe*

quarantasette

# 1

**P** Guarda i disegni e scrivi le parole che ricordi.

___

**Ricordi altre parole? Scrivile.**

___

**Scrivi le frasi che hai imparato. Poi confronta le tue frasi con quelle di un compagno.**

___

**a1**

quarantanove

50  *cinquanta*

**a2**

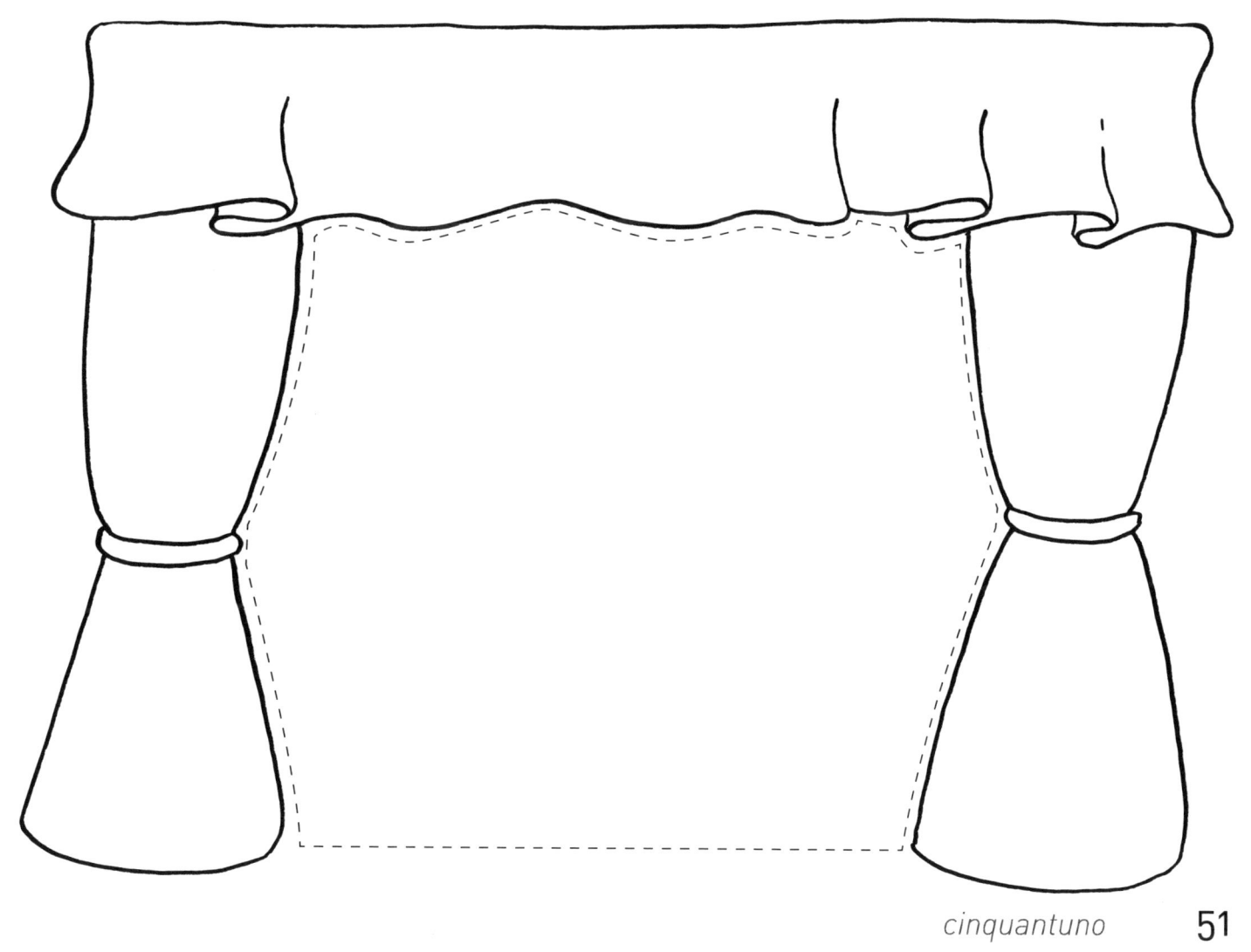

*cinquantuno* 51

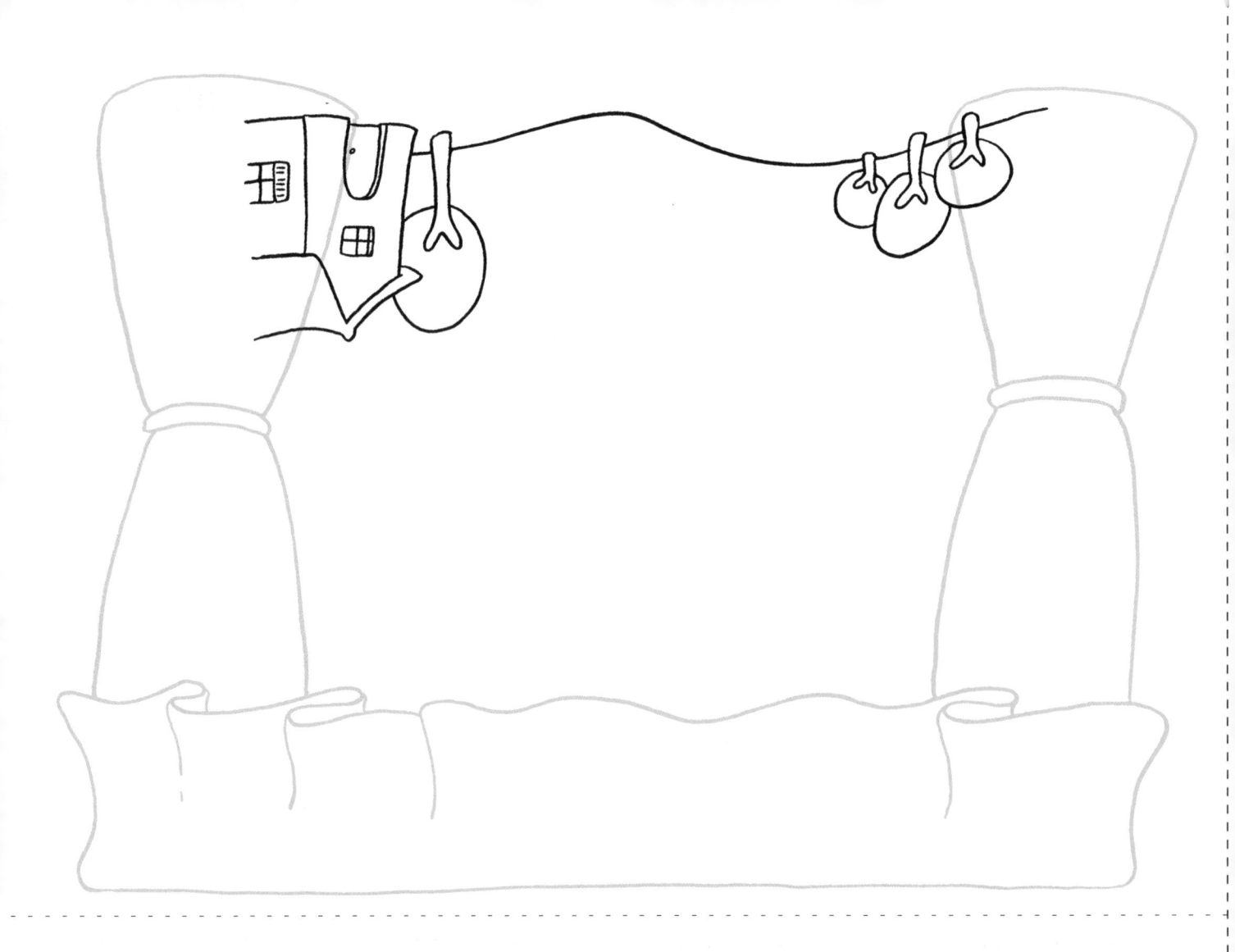

**a3**

*cinquantatré*

**a4**

*cinquantacinque* 55

a5

cinquantasette

**a6**

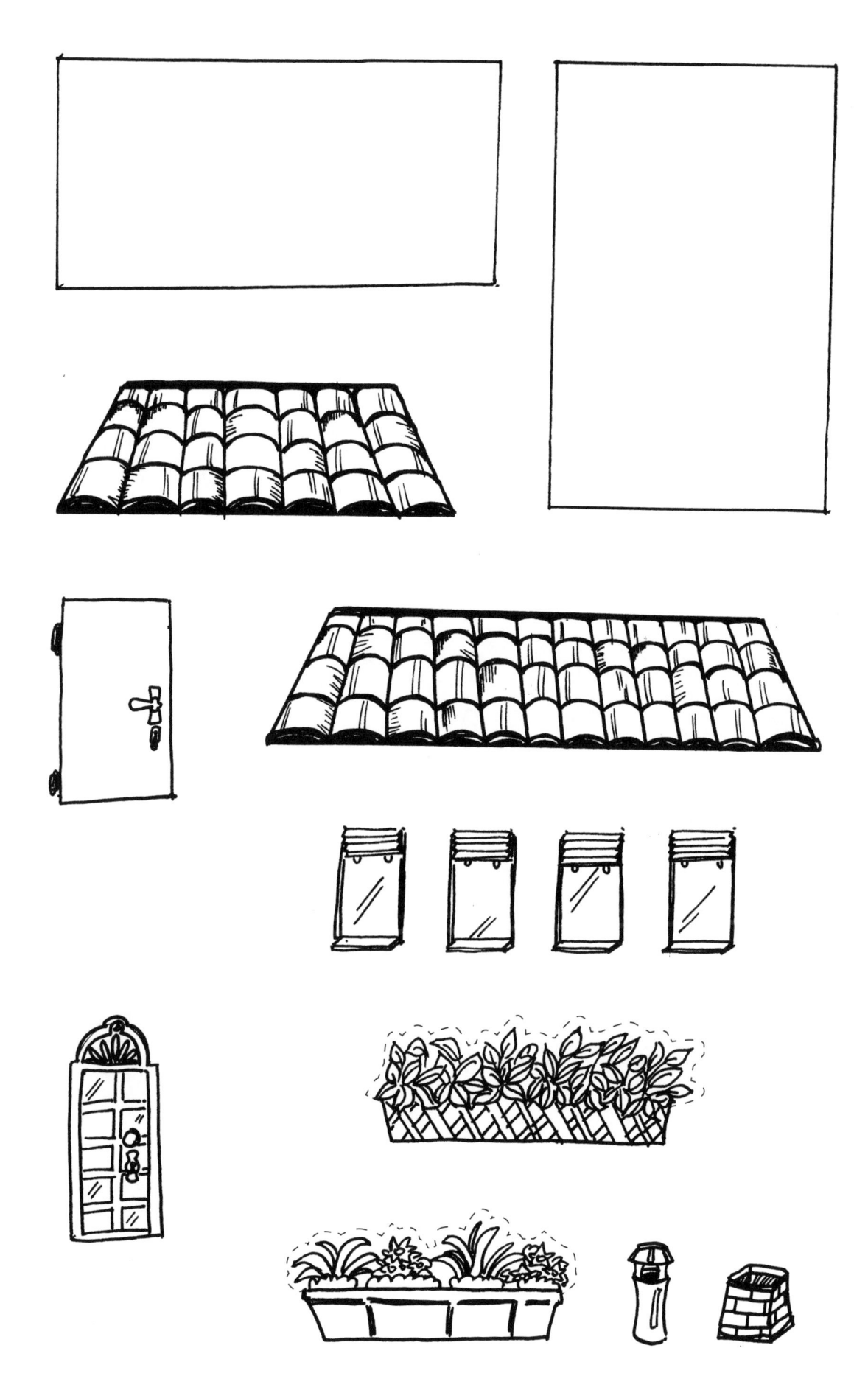

*cinquantanove*